CW01096193

SEGHERS JEUNESSE

Dans la même collection

Jacques Roubaud, *Les Animaux de personne*
Postface de Dominique Moncond'huy

Italo Calvino, *Forêt-Racine-Labyrinthe*
Postface de Benoît de La Brosse

Guillevic, *Pas si bêtes !*
Postface de Danièle Henky

J.-M.G. & Jémia Le Clézio, *Sirandanes*
Postface de Danièle Henky

Paul-Émile Victor, *Poèmes Eskimo*
Postfaces d'Anne Dieusaert et de Danièle Henky

Ré & Philippe Soupault, *Histoires merveilleuses du Brésil*
Postface de Michaël Batalla

Ré & Philippe Soupault, *L'Étoile et le Nénuphar*
Postface de Michaël Batalla

Guillevic, *Humour blanc et autres fabliettes*
Postface de Christian Bulting

JACQUES ROUBAUD

LES ANIMAUX DE TOUT LE MONDE

Postface de Dominique Moncond'huy

SEGHERS JEUNESSE

Pour commencer

Il y a beaucoup d'animaux
des longs des courts des gras des beaux
il y a beaucoup d'animaux
(il y a aussi beaucoup de cailloux)

Il y en a qui n'ont pas de genoux
il y en a qui n'ont pas de bras
sympathique n'est guère le cobra
extrêmement susceptible, dit-on, est le gnou

(il y a beaucoup d'animaux
des cons des lourds des bas des gros)

Animaux de tout le monde
à chacun je donne un poème
on le trouvera ici même

Mais on n'en fera pas une ronde :
la girafe, n'est-ce pas, serait immensément
gênée d'avoir à danser avec le paon.

Poème du chat

pour Claude Roy

Quand on est chat on n'est pas vache
on ne regarde pas passer les trains
en mâchant les pâquerettes avec entrain
on reste derrière ses moustaches
                 (quand on est chat, on est chat)

Quand on est chat on n'est pas chien
on ne lèche pas les vilains moches
parce qu'ils ont du sucre plein les poches
on ne brûle pas d'amour pour son prochain
                 (quand on est chat, on n'est pas chien)

On passe l'hiver sur le radiateur
à se chauffer doucement la fourrure

Au printemps on monte sur les toits
pour faire taire les sales oiseaux

On est celui qui s'en va tout seul
et pour qui tous les chemins se valent
                 (quand on est chat, on est chat)

Les loirs en vacances

pour Marie Chaix et Harry Mathews

Quand les loirs prennent des vacances
ils vont au *Holiday Inn* des loirs
endroit tranquille, plein de tiroirs
confortables, à Villars-de-Lans

À minuit, dans le grand silence
le museau calé dans un coussin
ils écoutent du clavecin
en mangeant des biscottes de France

Et l'après-midi on se promène
on vous emmène dans la forêt
c'est bizarre, il y a des prés

des feuilles, des cailloux, des fontaines !
on rentre le soir, à la brise,
dormir dans sa fourrure grise.

Le lombric

(Conseils à un jeune poète de douze ans)

Dans la nuit parfumée aux herbes de Provence
le lombric se réveille et bâille sous le sol,
étirant ses anneaux au sein des mottes molles
il les mâche, digère et fore avec conscience.

Il travaille, il laboure en vrai lombric de France
comme, avant lui, ses père et grand-père ; son rôle
il le connaît. Il meurt. La terre prend l'obole
de son corps. Aérée, elle reprend confiance.

Le poète, vois-tu, est comme un ver de terre
il laboure les mots, qui sont comme un grand champ
où les hommes récoltent les denrées langagières ;

mais la terre s'épuise à l'effort incessant !
sans le pöete lombric et l'air qu'il lui apporte
le monde étoufferait sous les paroles mortes.

Le lézard

Le lézard est sur son mur
comme sur une grande plaine
il regarde le mur d'azur
où le soleil rouge peine

C'est drôle, dit le lézard,
comme le soleil s'obstine
à se chauffer l'hémoglobine
moi je suis froid et j'en suis fier.

Lézards gris et lézards verts
n'ayons donc pas d'inquiétude
mais pour ne pas mourir de faim

guettons la mouche ingénue
de notre œil oblique et malin
lézards vris et lézards guerts !

L'âne entre les deux seaux d'avoine

pour Oskar Pastior

Alors j'y vas ou j'y viens
si j'y viens alors j'y vas pas
et si j'y vas alors j'y viens pas
mais si j'y viens alors j'y viens

et si j'y vas alors j'y vas
peut-être que si j'y vas et viens
ou viens et vas peut-être bien
(peut-être) qu'alors ça ira

autrefois d'abord j'y allais
d'abord, et ensuite j'y venais
mais maintenant je n'ose plus

j'ai peur qu'un des seaux disparaisse
et ça me jette dans la détresse
alors je vas plus et je viens plus.

Hérisson !

Il fuit dans le cresson
le buisson le hérisse
langue rose ! rose cuisse !
hérisson ! hérisson !

gourmand de calissons
de crème, de réglisse
dans la rosée il glisse
hérisson ! hérisson !

Il ne craint pas le loir
qui dort dans son tiroir
il ne craint pas la lune

ni, grâce à ses piquants,
le charbon urticant
mais le poids lourd l'importune

« Hérissons ! hérissons !
Nous périssons ! Nous périssons ! »

La linotte

Qu'est-ce que j'ai encore oublié
se dit se dit la linotte
j'ai mis j'ai mis ma culotte
j'ai mis j'ai mis mes souliers

Qu'est-ce que j'ai encore oublié :
d'embrasser la tante Charlotte ?
de faire cuire mes échalotes ?
de repasser mon tablier ?

La linotte s'envole au vent
les moineaux se tordent de rire
« ah, c'est trop drôle ! » « ah, j'expire ! »

Ils s'en roulent dans la poussière
car en partant elle a oublié
quoi ? sa tête de linotte[*] !

---

[*] Et moi j'ai oublié une rime.

La marmotte

« J'aime l'automne quand tout le monde
rentre dans sa maison
on a fait ses provisions
moi j'ai ramassé du fourrage

pour en faire des oreillers
bien secs j'ai beaucoup mangé
pour être grasse sous ma fourrure
et maintenant bonsoir m'sieurs dames. »

La marmotte dort dans son trou
les feuilles tombent puis la neige
le vent souffle les bois gémissent
la marmotte ferme ses petits
poings sur son oreiller
(*)

* Un vers de silence, très long.

Les canards de Cambridge :

(poème franco-britannique)

Les canards lecteurs d'Aristote[*]
descendent *punter* sur la *Cam*[**]
en disputant mais avec calme
car ils pratiquent la litote[***]

Fellows de leur *college* ils sont[****]
ce qui leur ouvre les pelouses[*****]
ils y mènent parfois leurs épouses
prendre le thé avec des *scones*[******]

Lord Kelvin[*******] Isaac Newton[********]
dignes savants que rien n'étonne
étaient des canards, je le sais

sûrs de leurs faits, imperturbables,
devant leurs critiques défaits
lissant leurs plumes imperméables[*********]

* Grand philosophe grec.

** La *Cam* est la rivière qui coule dans la ville de Cambridge : les canards descendent la Cam dans des barques en s'aidant d'une grande perche qu'ils appuient sur le fond de l'eau et qui s'appelle *punt*.

*** Les canards contrairement aux poules ne prononcent jamais de paroles inutiles.

**** Comme ils sont très savants, l'université leur a donné le titre très envié de *fellow*.

***** Les *colleges* de Cambridge ont de belles pelouses au bord de la Cam : seuls les *fellows* et donc les canards, puisqu'ils sont des *fellows*, ont le droit de s'y promener.

****** Les *scones* sont de succulents gâteaux écossais qu'on mange avec de la gelée de myrtille et de la crème épaisse de Cornouailles.

******* Célèbre physicien.

******** Célèbre physicien qui aimait beaucoup les pommes ; il se mettait sous un pommier et quand une pomme lui tombait sur le nez il faisait une grande découverte.

********* Les plumes des canards sont imperméables à l'eau – ce qui leur permet de nager – et aussi à la critique.

La loutre

La loutre est une bête espiègle
qui adore les toboggans
elle se lave avec un gant
de saponaires dans les cascades

elle chasse la truite qui est fade
à coups de patte dans les torrents
mais elle aimerait mieux des harengs
crus avec du sel et des cèbes

Ô belle loutre vertueuse
qui résiste à tous les poisons
je pense à ta sombre toison

luisante dans l'eau ténébreuse
Que revienne encore la saison
où la loutre humide et curieuse

délaissant le cuir vert des eaux
montre sa truffe dans les roseaux.

Les mouettes

Le poète s'est rendu au bord de la mer pour y écrire ses œuvres complètes ; mais voilà, il y a les mouettes ! Le poète parle :

« Vos gueules ! vos gueules ! les mouettes !
cessez de brailler dans l'écume
pressez-moi plutôt de vos plumes
pour tremper dans de l'encre violette

Je voulais faire mes œuvres complètes
au bord de la mer, dans les brumes
tout ce que j'ai gagné c'est un rhume
et vos cris me cassent la tête

J'en ai marre de vos gueules de scie
je crache je tousse je m'essuie
le nez avec de vieux kleenex

Je deviens bête grognon et sourd
mais comme j'ai une rime en « ex[*] »
je vais prendre le train du retour. »

Et ainsi le poète est revenu à Paris, après avoir composé le poème aux mouettes que vous venez de lire.

[*] Grâce à un vieil indicateur de chemins de fer qu'on appelle Chaix.

Le papillon de nuit

Le papillon de nuit se brûle encore à la flamme
« C'est bien ma veine, se dit-il, avant c'était
[les bougies
maintenant c'est les ampoules électriques
[qui ne sont pas protégées
c'est pas une vie ! »

On nous dit que les papillons de nuit meurent
[d'amour
qu'ils se jettent dans le feu à cause
[des froideurs de la papillonne
le papillon de nuit s'élève contre
[cette interprétation

« C'est à cause de cette fascination pour le chaud
[que j'ai héritée de mes parents, nous dit-il,
mettez partout des lumières froides et vous
[verrez
comme ma vie sera calme et longue
et quant à ceux qui prétendent que c'est
[par orgueil

et que comme monsieur Icare je me jette
                              [dans le soleil
ceux-là, je vous le dis, ils se fourrent le doigt
                              [dans l'œil. »
Voilà ce que nous a révélé le papillon de nuit.

Le blaireau

Quand le blaireau rentre dans son *sett**
il met sa grande veste de tweed
il se verse un verre de cidre
tout en enfilant ses chaussettes
on sonne :
C'est le loir la fourrure défaite
qui a peur de manquer de lipides
nutritifs et aussi de liquides
car le loir est une bête inquiète

le blaireau le prend par la patte
il l'emmène dans son *lardeur*
il y a du lait gloria (cent boîtes !)

il y a du miel dans les jarres
il y a du pilpil et des sprats
et du porridge et de la bière

rassuré le petit loir se cale
dans son fauteuil il boit et parle

les bougies dansent puis faiblissent
les museaux penchent ils s'assoupissent.

* Le blaireau habite dans une maison souterraine appelée
sett ; le *lardeur* est le nom de son garde-manger.

La licorne

La licorne ne peut être capturée
qu'entre les genoux d'une demoiselle
son œil est une pierre précieuse
qu'on nomme escarboucle et qui est tendre

L'escarboucle est une pierre précieuse tendre et rare
dans l'œil de la licorne d'où tombe une larme
qui mouille la robe de la demoiselle
qui vient de l'emprisonner

Cela se passe dans un pré
au milieu du Moyen Âge
les nuages sont des coussins

d'où descendent des épées d'or
ce sont les regards du soleil qui regarde
la capture de la licorne.

L'anguille

Je suis entré dans l'eau de la rivière
entre les herbes quand la lumière brille
et sous la roche j'ai trouvé l'anguille
elle dormait luisante entre deux pierres

Elle m'a dit : eh ! laisse-moi tranquille
pêcheur poète j'ai bien mieux à faire
que de filer entre tes doigts ; la terre
est grande ; les fleuves la quadrillent

je pars ce soir pour un voyage long
de fleuve en mer autour du globe rond
pour rencontrer dans la mer des Sargasses

toutes les autres anguilles mes sœurs
tantes et cousines ; va chasser les limaces
et laisse-moi dormir encore une heure !

Les cigognes

Autrefois pour se chauffer
on avait de l'anthracite
en boules comme des pépites
d'or rouge, de bleu brodées

Ça faisait de la fumée
qui s'en allait tout de suite
après un brin de conduite
réchauffer la cheminée

Et c'est pourquoi les cigognes
entre l'Afrique et Cologne
s'arrêtaient pour faire leur nid

contre les cheminées d'Alsace
bien au chaud. Las le temps passe
les cigognes se sont enfuies.

La fourmi

Fourmi fourmi
mini minuscule
semis de virgules
demie de demie
remue ton mil
ton brin ta pilule
menue miette nulle
fourmi fourmi
minime ténue
noire goutte acide
de prudente antenne
le soir te dilue
dans la terre avide
les herbes s'éteignent.

Le microbe

Le poème est là, mais pour le voir il faut un microscope.

L'hippopotame

L'hippopotame est un monsieur placide
qui trempe dans le fleuve Limpopo
ses bajoues ses pattes comme des poteaux
faisant des bulles qui troublent l'eau limpide

La vase fraîche caresse son gros bide
il en mugit et trouble le repos
du crocodile qui furieux fend les eaux
mais sans ardeur hippopotamicide[*]

Parfois fouillant la rive de ses dents
sans y penser il broute ses enfants
car il est myope et a peu de cervelle

Et dans le soir d'Afrique aux cent couleurs
polaroïdes on entend des clameurs
désespérées d'hippopotame femelle[**]

[*] Il fait trop chaud.
[**] C'est la mère des enfants : elle est myope, elle aussi, mais
a un peu plus de cervelle que son mari, et elle s'est rendu
compte de la disparition des hippopotameaux, ses enfants.

Le rhinocéros

Le rhinocéros est mal dans sa peau !
comme il l'avait fait sécher une nuit
un ou-is-titi y a mis du biscuit
et depuis ça gratte oh ! ça gratte trop !

Comme, en plus, il n'est pas vraiment très beau
qu'il a une corne et pas même d'étui
pour la ranger quand il dort dans son lit
son humeur n'est pas tout à fait ce qu'il faut

Ah, qu'il voudrait être un hippopotame
sur les bords vaseux du grand Limpopo
avoir un front lisse et une belle âme

mais ne rêvons pas ! il fait bien trop chaud
le rhinocéros va sur la colline
son petit œil brille d'une lueur maligne.

Les baleines

Quand il pleut sur l'océan
que fait que fait la baleine
pas d'abri dans cette plaine
sous les nuages béants

De sa barrissante haleine
elle appelle entre ses dents
ses baleineaux imprudents
qui sont sortis sans leur laine

Les cumulus cachalots
passent en troupes grondantes
et crachent dessus les flots

Sur l'océan c'est la pluie
mais elles vont tranquilles et lentes
les baleines sous leurs parapluies.

Le caméléon

Quand je serai caméléon
  je prendrai la couleur d'érable
    en automne ou celle de sable
      aux plages de l'île d'Oléron

        je serai lampe de néon
          pour éclairer ma propre table
        je serai couleur de cartable
      à l'automne ou jaune crayon

et le jour des compositions
  noir sur blanc en belle écriture
    je copierai les solutions

      mais j'aurai la conscience pure
    agissant selon la nature
  quand je serai caméléon.

Les vers à soie

Les vers à soie murmurent dans le mûrier
ils ne mangent pas ces mûres blanches et molles
pleines d'un sucre qui ne fait pas d'alcool
les vers à soie qui sont patients et douillets

mastiquent les feuilles avec un bruit mouillé
ça les endort mais autour de leurs épaules
ils tissent un cocon rond aux deux pôles
à fil de bave, puis dorment rassurés

En le dévidant on tire un fil de soie
dont on fait pour une belle dame une robe
belle également qu'elle porte avec allure

Quand la dame meurt on enterre la soie
avec elle et on plante, sur sa tombe en octobre,
un mûrier où sans fin les vers à soie murmurent.

La mangouste

C'est l'histoire de la mangouste
qui s'est mise dans la flibuste
son ennemi héréditaire
le cobra est un vieux corsaire
un jour au large de Famagouste
c'était l'heure de midi juste
apparaît l'effrayant navire
du cobra et de ses sbires
« bord à bord » et « à l'abordage ! »
jusqu'au soir la lutte fait rage
au crépuscule sur le pont
le cobra gît en deux tronçons
la mangouste par cent blessures
saigne, mais sa joie est pure.

La truite :

poème fade

La truite est un gentleman
à ce que disent les Anglais
quand elle part pour la City
elle prend son melon et sa canne

le soir elle se rend à son club
jouer au whist boire du porto
le matin elle se lève tôt
elle prend le thé dans son tub

le brouillard (fog) vient de tomber
sur Londres on entend Big Ben
sonner minuit mais avec peine

la truite avant d'enjamber
le pont enlève sa chemise
et plonge dans la Tamise.

La fiancée du koala

Le koala est fiancé
à la petite Paola
elle adore son koala
bien qu'il se prénomme Anicet

dans sa fourrure elle a glissé
de la poudre de kaolin
mais de ses beaux yeux opalins
coulent des larmes de glycé
rine

car son koala est pirate
il hante les eucalyptus
à l'étrange odeur d'aromate

là-bas sur le boulevard Picpus
il attaque les autobus
et réclame, en rançon, des dattes !

La salamandre

« **L**e crains-tu, le feu, le crains-tu
le feu, le feu, salamandre ?
habillée de feuille et de cendre
le crains-tu, dis-nous, le crains-tu ? »

« On t'a vue, c'est sûr, on t'a vue
dans le feu, on t'a vue descendre
peut-être n'est-ce qu'une légende
on t'a vue dans le feu, on t'a vue ! »

La salamandre hausse les sourcils
elle met ses lunettes noires
et sa combinaison d'amiante

elle se couche sans soucis
sur son lit de braises du soir
pendant que la bouilloire chante.

Le veau

pour Marianne

Museau de veau douce bave
que Marianne sent dans sa main
quand elle va dans son jardin
chercher du thym ou des betteraves

Le veau connaît Marianne bien
car voyez-vous elle l'a vu naître
parfois il vient à sa fenêtre
passe la tête et lui dit : « hein ? »

Dans la ferme de Marianne
il y a chevaux chiens et ânes
il y a des chats sur des coussins

tous boivent leur lait le matin
et il y a un petit veau
qui aime Marianne Roubaud.

L'ornithorynque

pour David Antin

L'ornithorynque, un animal timide
que les Anglais appellent *platypus*,
pour se connaître va sur le campus
il veut s'inscrire en biologie hybride.

« Où vivez-vous ? Dans un milieu humide ?
qu'on lui demande, ou bien dessus l'humus ? »
« Et ces palmes, c'est quoi ? du papyrus ? »
« Que mangez-vous, du sel ou des acides ? »

Tout chamboulé, le pauvre ornithorynque
s'enfuit à Labastide-Esparbairenque
un tout petit village bien caché

de l'Aude, recommencer sa vie à neuf.
Et là, près du ruisseau, sous les pêchers
tout blancs, réfléchit, et pond presque un œuf.

Le crocodile

Le crocodile n'a qu'une idée
il voudrait dévorer Odile
qui habite près de son domicile
elle est tendre et dodue à souhait

Le crocodile est obsédé
« Ça devrait pas être difficile,
pense-t-il, d'attraper cette fille »
(il emploie la méthode Coué)

Mais Odile qui n'est pas sotte
ne s'approche pas de la flotte
elle se promène sur la grève

mangeant des beignets de banane au mil
et c'est seulement dans ses rêves
que le crocodile croque Odile.

Les éléphants roses vont à l'hôtel

Les éléphants mussipontains
(ceux qui habitent Pont-à-Mousson)
ne mangent ni du mou ni du son
car ce n'est pas bon pour le teint

Mais pour se donner du bon temps
ils plongent dans un moussant bain
ils en sortent roses mais contents
et se sèchent sur des coussins

Ils boivent du vermouth et du ponch
avec une paille en bout de trompe
en lissant leurs belles défenses

Au balcon de l'hôtel ils se penchent
pour cueillir quelques pétunias qui trempent
dans la rosée. Ils les fourrent dans leurs poches.

Buse et zébu

Le zébu rencontre la buse
dans une soirée où l'on se croise
quand il voit la buse il la toise
c'est vous la buse si je ne m'abuse

La buse qui n'a pas de ruse
trouvant le zébu beau mais obèse
lui crie toi mon gros pas de bise !
le zébu, déçu, boit de la Suze

Ainsi souvent une buse belle
déchirant l'air de décibels
jette un pauvre zébu au rebut

sous prétexte qu'il n'est qu'un mufle
mais comment, sans mufle, être buffle ?
ici finit l'histoire
de ma buse et du bel zébu.

Ce que dit le cochon

Pour parler, dit le cochon,
ce que j'aime c'est les mots porqs :
glaviot grumeau gueule grommelle
chafouin pacha épluchure
mâchon moche miches chameau
empoté chouxgras polisson.
J'aime les mots gras et porcins :
jujube pechblende pépère
compost lardon chouraver
bouillaque tambouille couenne
navet vase chose choucroute.
Je n'aime pas trop potiron
et pas du tout arc-en-ciel.
Ces bons mots je me les fourre sous le groin
et ça fait un pöeme de porq.

La caille

La caille cueille des griottes
pour en fourrer un clafoutis
car elle reçoit pour le tea
le jars la pie et la hulotte

Le jars est con la pie est sotte
mais ça fait de la compagnie
elle a fait aussi des blinis
y a des raisins secs de la compote

La hulotte qui est très sage
garde les yeux ouverts et s'endort
cependant que le jars pérore

approuvé par la pie. Un nuage
de lait tiède donne la paix
à la caille sur son canapé.

Les pigeons de Paris

« Les petits pigeons pleins de fientaisie »
Raymond Queneau

Les pigeons qui chient sur Paris
ses arbres ses bancs ses automobiles
attendent que l'Hôtel de Ville
soit propre pour le couvrir de pipi

Les pigeons pollués et gris
polluent de leurs acides chiures
façades vitrines et toitures
les parcs les balcons les mairies

Les pigeons à l'œil archibête
choisissent principalement ma tête
pour y projeter leurs immondices

à la consistance de petits suisses
Ils ne trouvent rien de mieux à faire
dans Paris la Ville Lumière.

La grive

Quand s'achève le mois d'octobre
quand les vendanges sont passées
quand les vignes rouges blessées
par l'automne saignent sombres

quand les cyprès aux noires ombres
en haut des collines dressés
luttent contre les vents pressés
on voit la petite grive sobre

s'asseoir dans la vigne sous les feuilles
avec son panier à raisins
de son bec expert elle cueille

muscats, grenaches, grain à grain
elle en goûte tant qu'elle roule
dans la poussière, heureuse et saoule.

Le saumon

Le saumon fume
sa pipe dans l'eau
il fait très beau
juste un peu de brume

entre les roseaux
le saumon rallume
sa pipe d'écume
puis sort ses ciseaux

dans de vieux cahiers
le saumon découpe
toute une troupe

de bateaux de papier
ensuite il les lance
sur le lac de Constance.

Les chenilles

J'ai connu une chenille
qui se nommait Priscilla
elle habitait une ville
et se nourrissait de myrtilles

J'ai connu une autre chenille
qui se nommait Gwendolyn
elle habitait le Kremlin-
Bicêtre, avec sa famille

Priscilla était volage
Gwendolyn était menue
avec de beaux saphirs poilus

sur son corps vert tendre et sage
J'ai connu aussi Brunehilde
Petula et Hermenegilde

(ce sont de beaux noms de chenille.)

Hanneton

Le hanneton a disparu
il était lourd et maladroit
il ne volait pas toujours droit
dans le soir de juin jaune et cru
        on lui chantait : « hanneton !
        hanneton vole vole vole ! »
        on lui chantait : « hanneton !
        hanneton vole vole donc ! »
Le hanneton a disparu
de quel mal était-il la proie
quelle poudre jetée de quels doigts
l'a rayé de la carte des vies ?
        on lui chantait : « hanneton !
        hanneton vole vole vole ! »
        on lui chantait : « hanneton !
        hanneton vole vole donc ! »
par la fenêtre ouverte
il entrait dans la chambre
étonné hésitant
il venait des feuilles vertes
et chaudes dans l'ombre
je m'en souviens souvent
        on lui chantait : « hanneton !
        hanneton vole vole vole ! »
        on lui chantait : « hanneton ? »

Le Roi lion :

poème en couleur noire et blanche

Faut pas confondre les bestiaux
avec les petites bestioles
ça irrite le campagnol
quand on le prend pour un taureau

Faut pas confondre les zoziaux
avec les personnes avicoles
ça rend la perruche folle
quand on l'assimile au corbeau

Mais le li-on le Roi li-on
ne craint pas ces confusions
De sa rugissante crinière

il éparpille les éléphants
pour la grande joie des enfants
de la Metro-Goldwyn-Mayer.

Le pélican de Jonathan

Le capitaine Jonathan
revenant d'Extrême-Orient
prend avec lui son pélican
pour le montrer au docteur Lacan

« Voici, dit-il, un pélican.
Il pond, voilà, un œuf tout blanc
d'où sort un autre pélican
vous l'avouerez, très ressemblant. »

« Bon, je mets ces deux pélicans
ici, l'un à côté de l'autre
je voudrais savoir maintenant
lequel des deux est le Grand Autre ? »

« Aucun, dit le docteur Lacan,
c'est Mille Francs. »

La pieuvre

La pieuvre à l'œil mélancolique
au-dessus d'un sourire amer
attend sur le fond de la mer
la caméra panoramique

qui va filmer sa lutte épique
contre un scaphandrier pervers
d'Hollywood ; on lui a offert
des quantités astronomiques

de dollars pour qu'elle succombe
au cinquième round, gentiment
alors qu'elle pourrait aisément

et d'un bras… Voyez comme on tombe
bas, quand on veut être riche
et avoir son nom sur l'affiche.

La couleuvre d'eau

Couleuvre d'eau langue fourchue
mangeuse de petits poissons
on t'attrape sans façons
dans le ruisseau qui remue

ton sang bat sous ta peau nue
ton cou gonfle d'indignation
quand t'emmènent les garçons
vers le village et sa rue

ils te nouent autour de leur cou
pour effrayer les grand-mères
et les sœurs, ensuite ils jouent

à d'autres jeux, tu te libères
et retournes à travers champs
dans l'eau au soleil penchant.

Les dinosaures

Y avait de gros animaux laids
on les nommait les dinosaures
qui vivaient jadis à l'aurore
des temps, bien avant la télé

ils étaient si longs qu'il fallait
cent mètres de corde bien propre
pour les mesurer, et si myopes
qu'ils ne voyaient jamais leurs pieds

en plus leur pauvre tête n'était pleine
que d'une cervelle grosse comme une noix
pour leurs ennemis quelle aubaine

ah, ils s'en donnaient à cœur joie !
Ainsi les dinosaures moururent
on n'en voit plus, quelle aventure !

Poème en *x* pour le lynx

Dans les Rocheuses vit le lynx
à l'œil brillant comme un silex
couleur de porcelaine de Saxe
énigmatique plus qu'un sphinx

parfois grondant en son larynx
il miaule et quoique loin de Sfax
fauche la chèvre qui fait « bêêx »
au berger qui joue du syrinx

Pour fêter ça il boit sans toux
de la blanquette de Limoux
dans les Rocheuses c'est du luxe

puis ronronnant et les yeux fixes
regarde à sa télé Tom Mix
dans un western couleur « deLuxe ».

Les gnous bleus

Si vous trempez vos genoux dans le *parker quink*
alors vous aurez les genoux bleus
si vous trempez vos gnous dans le *parker quink*
alors vous aurez des gnous bleus

et si vous trempez les genoux de vos gnous
                    [dans le *parker quink*
alors vous aurez des gnous aux genoux bleus
et si vous trempez les gnous de vos genoux
                    [dans le *parker quink*
alors vous aurez… je ne sais pas ce que vous
                                [aurez

je ne trempe pas mes genoux dans le *parker quink*
c'est pourquoi mes genoux ne sont pas bleus
je ne trempe pas mes gnous dans le *parker quink*
et pourtant mes gnous sont bleus !
trempons trempons nos gnous dans le *parker quink*
ils sont et resteront bleus !

Les bisons

Les bisons avunculaires
broutent de l'herbe à bisons
puis se couchent sur l'horizon
devant des témoins oculaires

Ce sont des grillons wyomiens*
qui transmettent pour tout le monde
la nouvelle sur leur longueur d'onde
mais leur travail sera pour rien

car nous ne sommes qu'en l'an mille
les hommes blancs n'ont pas encore
atteint la terre américaine

et les Indiens sans transistor
savent trouver quand c'est utile
les bisons dans l'immense plaine.

* On appelle grillons wyomiens les grillons de l'État du Wyoming.

La biche

Il était une biche blanche
blanche elle l'était jusqu'aux cils
blanche blanche qu'elle était blanche
elle avait la blancheur persil

souvent le castor ou la tanche
lui proposaient d'aller jouer
mais elle voulait rester blanche
elle avait peur de se mouiller

un jour au fond d'une clairière
elle rencontre le sanglier
il est sale le groin souillé
de bave de crasse et de glaire

et la biche le feu aux joues
avec lui se vautre dans la boue.

Le paon

Quand on possède un arc-en-ciel
qu'on le porte sur sa personne
on parle en marquant ses consonnes
ça fait briller mieux les voyelles

Toutes vos phrases sont éternelles
on les distribue en aumônes
aux pauvres, ceux qui ont le bec jaune
les pattes noires, la plume pas belle

On passe à pas lents et certains
en ponctuant l'air de la tête
parmi toutes les autres bêtes

Mais sans trop montrer de dédain
et pour les charmer tout à coup
par bonté d'âme on fait la roue.

Les oies

Les oies prennent le *Capitole*
elles vont chanter à l'Opéra
de Toulouse on les paiera
avec du maïs et de la gnôle

gavées de beignets et d'alcool
dans la Ville rose on les verra
le jabot gonflé, le foie gras
et jacassant comme des folles

enrouées saoules à l'aurore
braillant *Lucie de Lammermoor*
La Traviata ou *Le Trouvère*

elles finissent près du canal
où un canard municipal
les arrose pour les faire taire.

La tortue

La tortue qui vainquit Achille
à l'aide du seul raisonnement
ne se considère pas pour autant
favorite aux jeux Olympiques.

Pour mener une vie tranquille
il faut aller pondérément
poser chaque patte en son temps
sans offenser de loi physique.

Au matin le soleil se lève
la tortue sort dans le jardin
elle sait qu'elle a tout le matin

pour atteindre ce dont elle rêve.
En marche se met la tortue
vers le cœur secret des laitues.

Le tatou

Le tatou ayant cloué
sur son dos sa carapace
s'en va au bistrot d'en face
à la belote jouer

à son cou, élégant, noué
un foulard de soie dépasse
jovial, sûr de lui, bonasse
voilà ce que le tatou est

le tatou tâte sa tatin
on joue tati à la télé
tatum au juke-box, ô tatou

t'as tout l'air d'un tatou, t'as tout :
tétous, tutti, tout ! t'as ton teint
t'es tatoué, mais, tatou, que t'es laid !

La girafe

La girafe maigrit du cou
même quand on aime les fromages
faut rester mince de l'œsophage
svelte et maigre comme un grand clou

Cette mode cause beaucoup
de problèmes à la girafe
quand elle passe les autruches s'esclaffent
je ne parle pas des Zoulous !

Elle rêve de tagliatelle
au jambon cru (du San Daniele)
mais «madame girafe» a dit* : non

et dans son régime pas de bananes !
pauvre girafe ! sur son cou long
là-haut, ses yeux sont pleins de larmes.

* Dans sa rubrique «Votre cou» de l'hebdomadaire du
Girafland : E//e.

La vache :

description

La
Vache
Est
Un

Animal
Qui
A
Environ

Quatre
Pattes
Qui

Descendent
Jusqu'
À terre.

L'orvet

Souvent quand on est de corvée
de vaisselle on casse un verre
on le remplace, mais que faire
que faire quand on casse un orvet ?

Ah ! ce n'est pas la vie rêvée
que d'être cassant comme du verre
quand on prend le chemin de fer
à la gare il faut s'assurer

il faut porter un écriteau
marqué « haut bas » et puis « fragile »
il faut éviter le métro

et les querelles de famille
et surtout il faut renoncer
hélas à jouer au rugby.

Poème du paresseux

Quand le *paresseux* est pressé
on dit qu'il fait jusqu'à 2 à l'heure
mais peut-être qu'on exagère
je n'ai jamais vérifié

Quand le paresseux est amoureux
paraît qu'il ralentit l'allure
mais sa fiancée plus encore
et ils finissent par être heureux

J'aimerais être paresseux
vivre et mourir dans le même arbre
la tête en bas, les pieds aux cieux

Une belle moisissure verdâtre
dans mon pelage, et bien dodu
en mangeant de l'eucalyptus
(d'Australie).

L'escargot

Il passe comme un paquebot
dans l'herbe tremblante de pluie
quand les araignées essuient
leurs toiles car il fait beau

J'ai toujours aimé l'escargot
son pas frais luisant et sans bruit
sa navigation dans la nuit
le long des murs, vivant cargo

on en retrouve le sillage
le matin, brillant au soleil
Où va l'escargot, qui voyage

dans le noir cornes en éveil ?
En haut du fenouil, en équilibre
il médite sur les étoiles libres.

La coccinelle

Quand une coccinelle
se pose dans le cou
dans le cou d'une belle
ça veut dire voyez-vous

qu'un baiser vous attend
qu'il faut prendre très vite
ce qui arrive ensuite ?
eh bien cela dépend
                (c'est à Victor Hugo
                que nous devons ce conseil)

mais si la coccinelle
arrive de Glasgow
elle porte (c'est très beau)

son *tartan* sur le dos
il faut prendre une photo
et oublier la belle
                (ça c'est moi qui vous le dis)

Les chameaux sous la lune

Le chameau monte sur la dune
et ensuite il redescend
dans le désert réfléchissant
la lampe jaune de la lune

Quand il est en haut de la dune
le chameau voit sur le versant
d'une autre dune (c'est intéressant)
un autre chameau sous la lune

Ainsi sur les bosses de deux dunes
qui se suivent on peut voir souvent
deux chameaux qui vont en rêvant
porter leurs deux bosses sous la lune

Et c'est pourquoi il n'y a guère
dans le désert de dromadaires*.

* Sauf dans les déserts qui n'ont qu'une seule dune.

Lettre de l'auteur au hérisson

Mon cher hérisson, tu me remercies d'avoir pris la défense de ton peuple menacé par les automobilistes avec la complicité des pouvoirs publics. Le hérissonicide qui nous menace est, en effet, un véritable scandale et une honte pour notre pays. Je n'aurais pas rempli mon devoir de pôëte si je n'avais pas attiré l'attention de mes lecteurs sur lui. Tu me demandes aussi de te dire pourquoi j'ai décidé de composer 60 poèmes pour 59 animaux, et comment je m'y suis pris. « La poésie hérissonne classique, m'écris-tu, chante les émotions, la vie intérieure et l'histoire des hérissons, la beauté de leurs piquants et de leurs langues ; je croyais qu'il en était de même de la poésie humaine. » Ce sont de vastes questions, et je te remercie de me les avoir posées.

Je suis parti d'une constatation : il y a beaucoup d'animaux, des longs, des courts, des gras, des beaux (et des moins beaux). Ne pouvant leur offrir à tous des chocolats ou des tulipes (que peut-être ils n'aimeraient pas), et afin de ne pas faire de jaloux, j'ai décidé de leur offrir à chacun un poème (il y en a 123 456 exactement, mais l'éditeur, pour des raisons, dit-il, d'économie, n'a pas voulu les publier tous !).

J'aurais pu, bien entendu, écrire de *petits poèmes pour petits animaux ou bien de gros poèmes pour gros animaux* ou bien encore de *petits poèmes pour gros animaux* – ou même de *gros poèmes pour petits animaux*. Mais j'ai préféré ne pas faire de différence entre vous, et vous donner à chacun la même espèce de poème. N'appartenons-nous pas tous à la même espèce, l'espèce animale ? Et dans ces conditions il était naturel de composer pour chacun un poème de l'espèce qu'on appelle **sonnet**.

Quels sont les avantages du sonnet ?

Pour commencer, il tient bien dans la page, et chaque animal a son sonnet à lui, qui ne se mélange pas avec celui des autres. Car tous les sonnets ont le même nombre de vers, **quatorze** (surtout ceux qui ont l'air d'en avoir quinze, ou seize). Et les quatorze vers du sonnet sont divisés en quatre **strophes**, deux quatrains et deux tercets ; les quatrains sont appelés quatrains parce qu'ils ont quatre vers ; et les tercets sont appelés tercets parce qu'ils en ont trois. Les quatrains vont ensemble, ce sont des jumeaux qui se ressemblent beaucoup ; et les tercets vont aussi ensemble, ce sont d'autres jumeaux.

Le sonnet est ce qu'on peut faire de plus solide comme construction de poème. Les strophes du sonnet sont les étages d'une **maison**. Les quatrains forment le rez-de-chaussée et le premier étage, les tercets le deuxième étage et le toit. Pour séparer un étage d'un autre il y a un plancher, qui est représenté sur le dessin par une ligne blanche. Tu me feras remarquer, et tu auras raison, que la maison du sonnet, si elle est bâtie comme je dis, est dessinée à l'envers dans le livre, puisque le rez-de-chaussée, par exemple (le premier quatrain), est en haut, et le grenier (le deuxième tercet) est en bas. C'est la faute des éditeurs et des instituteurs qui nous font lire en commençant par le haut, ce qui n'est pas du tout la manière dont on devrait lire, puisque ce n'est pas la manière dont on visite une maison : à l'exception d'Arsène Lupin, personne ne visite une maison en commençant par le toit. Je trouve qu'il serait beaucoup plus élégant de présenter le sonnet de la vache, par exemple, comme ceci :

À terre
Jusqu'
Descendent

Qui
Pattes
Quatre

Environ
A
Qui
Animal

Un
Est
Vache
La

La Vache

C'éti pas plus joli comm'ça ? On commence en bas, on monte l'escalier en s'arrêtant à chaque vers, et en soufflant sur le palier entre les étages. Tout à fait en bas, il y a l'entrée, qui est le *titre* du poème, avec le nom des habitants de la maison (ici c'est la vache avec sa famille, les petits veaux) et la sonnette sur la porte. (Dans un sonnet il y a une sonnette, qui est à côté du titre.)

Mais ce n'est pas tout ce qu'il faut pour faire un sonnet. Il faut aussi des **rimes**. Les rimes, c'est comme les *couleurs* ; ce sont les couleurs des vers ; des couleurs qui vont ensemble. Un écureuil, par exemple, c'est roux (je parle des écureuils de par ici, pas de ceux de Kensington Gardens, à Londres, ou de Central Park, à New York, qui sont gris. Dans Central Park, il y a même deux écureuils noirs comme du charbon ; ils aiment beaucoup les noix du Brésil ; n'oublie pas de leur en apporter quand tu iras en Amérique) ; dans sa fourrure, il n'y a pas de bleu, ou de vert (sauf quand il fait de la peinture, qu'il fait le portrait de la prairie ou de l'océan et qu'il s'en met partout) ; mais il y a plusieurs variétés de roux ; et elles vont toutes bien ensemble. Le toucan (autre exemple) a plein de couleurs vives et diverses (il ressemble à une boîte de fruits confits vernis), mais elles s'harmonisent parfaitement (du moins c'est ce qu'il pense). Les rimes, c'est pareil. C'est ce qu'on met au bout des vers pour qu'ils soient bien habillés. Dans le sonnet de l'**Hippopotame**, *placide* va avec *limpide* puis avec *bide* et enfin avec *hippopotamicide* ; c'est une rime en **-ide**. De même *Limpopo* va avec *poteaux* qui va avec *repos* qui va avec *eaux*. C'est une rime en **-o**. Ce sont les deux rimes des quatrains. Les quatrains ont très souvent deux rimes (ce sont des jumeaux). Les tercets, eux, ont souvent trois rimes (ce qui fait beaucoup pour deux tercets ; en général, il y en a une qu'ils partagent : dans ce sonnet c'est la rime **-elle** : *cervelle* pour le premier tercet, *femelle* pour le second). Les rimes des tercets sont le plus souvent différentes de celles des quatrains (sauf quand un animal n'a pas voulu, comme le **gnou**, qui a exigé de n'avoir que deux rimes en tout, dont une serait **-eu** et l'autre **-ink** ; c'est bizarre, mais c'est ainsi ; les gnous sont des animaux bizarres). Enfin, tu verras tout ça toi-même facilement dans le livre.

L'écureuil m'a fait observer que le sonnet de **La Vache**, selon lui, ne rimait pas. Et il a ajouté : « Si ça ne rime pas, ce n'est pas de la poésie. » J'ai répondu : « Ah mais pardon, il s'agit d'une espèce spéciale de rime qu'on appelle la *rime normande*. Dans la rime normande *soupe* rime avec *choux*, et *pomme* rime avec *cidre*. Le poème de la vache est tout simplement, comme il est normal, en rime normande ; mais attention, dans le premier quatrain *la* rime avec *un* et *vache* avec *est* (et pas le contraire) ; dans le deuxième, *animal* rime avec *environ* et *qui* avec *a* ; d'ailleurs *qui* rime aussi avec *vache* et *animal* avec *la* ; il faut pas confondre. Il s'agit d'un sonnet, donc, rime normande ou pas normande, c'est comme ça que ça rime… Dans les tercets, évidemment, *quatre* rime avec *pattes*, *descendent* avec *jusqu'* et *qui* avec *terre*. Mais le *qui* du deuxième quatrain ne rime absolument pas, mais pas du tout, avec le *qui* du premier tercet. »

La rime encore n'est pas tout. Il y a aussi les *syllabes* des vers. C'est comme pour les maisons. Toutes les maisons des animaux n'ont pas la même taille. Le « sett » du blaireau n'accueille pas facilement un éléphant, même rose. Pour mesurer la surface des appartements du sonnet, il faut compter chaque vers.

« Dans-la-nuit-par-fu-mée-aux-her-bes-de-Pro-vence » (**Le lombric**) compte pour *douze* ; mais « le-lé-zard-est-sur-son-mur » pour *sept* seulement. Je n'insiste pas, je sais que tu sais compter ; et de toute façon, s'il y a le moindre problème, ou bien tu prends un double décimètre, ou bien tu me téléphones. En général, tous les vers d'un sonnet comptent pareil, mais ce n'est pas toujours le cas.

J'espère avoir répondu de manière satisfaisante à tes questions. Crois, mon cher hérisson, à l'assurance de mes sentiments les plus piquants.

L'auteur

Poste-escripte-at-home :

Dans le poème pour le lombric, « pöete », à l'avant-dernier vers, n'est pas une faute d'orthographe. Le lombric m'a demandé comme une faveur personnelle qu'il soit écrit ainsi, pour bien distinguer le *pöete* qui est digne d'être un lombric du *poète* ordinaire, banal. Un Pöete-Lombric doit avoir des anneaux bien soudés ; c'est ce qu'indique le tréma. (D'ailleurs « pöete », dans ce vers, compte pour *une* syllabe, et pas deux.)

Voilà que j'allais oublier le sonnet inédit que tu m'as demandé. C'est celui de l'âne (et c'est l'âne lui-même qui me l'a dicté).

L'âne

hi
han
han
hi

hi
han
han
hi

hhan
hhan
hhii

hhhan
hhii
hhhhhhaaan.

Postface

de Dominique Moncond'huy

Lettre à Monsieur le poète

Monsieur le pöete,

Je vous écris pour vous dire que nous sommes très en colère ! nous, les quatorze chiens de mon club. C'est à cause de votre livre : vous prétendez évoquer les animaux de tout le monde, et vous oubliez la gent canine, les chiens, quoi ! Dans la « Lettre au hérisson », vous affirmez que l'éditeur n'a pas voulu publier tous vos poèmes… J'ai un peu de mal à vous croire. Quoi qu'il en soit, permettez-moi de vous dire que votre décompte paraît approximatif : 123 456 poèmes, c'est beaucoup, et c'est peu ; il y a beaucoup plus d'espèces animales que cela, mais pour ceux qui sont à tout le monde, c'est peut-être trop… Et puis, c'est un drôle de nombre… on dirait que vous n'avez pas compté les animaux mais simplement enfilé des chiffres ! Pourquoi ne pas continuer jusqu'à 123 456 789 ? En plus, il paraît que vous êtes mathématicien !

Avant de vous écrire, je me suis un peu renseigné, histoire de savoir qui vous êtes, parce qu'on n'écrit pas tous les jours à un poète, pardon, un pöete... Vous le voyez, je m'applique pour bien écrire « pöete », puisque vous le souhaitez dans le « poste-escripte-at-home » de la « Lettre au hérisson ». Au passage, je dois vous dire que vous ne savez pas bien écrire le français (ce qui est tout de même bizarre pour un poète, mais enfin...) : c'est « post-scriptum » qu'il fallait ! J'ai vérifié dans mon gros dictionnaire : ça veut dire « complément ajouté au bas d'une lettre, après la signature » ; vous, ce mot-là, on dirait que vous l'avez écrit comme vous l'entendiez, et vous avez cru entendre le mot « maison » en anglais ! c'est peut-être à cause de ce que vous dites du sonnet dans la même lettre... Bon, je veux bien écrire *pöete* pour vous faire plaisir, et puis c'est vrai que vous n'êtes pas un *poète* ordinaire. Comme vous l'expliquez dans « Le lombric », sans le vrai *pöete*, « le monde étoufferait sous les paroles mortes ».

En tout cas, vous avez écrit plein de livres ! des longs des courts des gras des beaux... des romans, des histoires du Moyen Âge, des récits où vous parlez de vous, et surtout beaucoup de poèmes... Moi aussi je pourrais changer les lettres de place, comme vous le faites dans votre premier poème ; je pourrais écrire « cons » au lieu de « longs » et

« lourds » au lieu de « courts ». Mais moi, je suis poli – même si je suis en colère… Quelquefois, vous allez un peu loin dans ce petit jeu, comme à la fin du poème sur « Le lézard » ! Quand on voit le sort que vous avez réservé au pauvre tatou, on finit même par se demander s'il n'est pas préférable que vous nous ayez oubliés, nous les chiens… Dès le premier quatrain, ça fait un peu drôle, un tatou qui joue à la belote ; encore qu'on voie d'ici la scène : « tout atout », dit le tatou ; « t'as tout ? » répond Pierre, son partenaire. Mais au vers 8, on comprend que vous jouez sur les mots : vous écrivez « tatou est », et moi, j'entends « tatoué »… Après, ça devient dur : j'ai dû demander à mes amis Médor et Pollux, qui connaissent plein de choses, de m'expliquer « tatin » (il paraît que c'est le nom d'une tarte inventée par deux sœurs maladroites !), et puis « tati » (Médor croyait que c'était un magasin parisien, mais c'est Pollux qui a raison : c'est le nom d'un auteur de films comiques, un vrai chef !), et encore « tatum » (drôle de nom pour un musicien de jazz ! c'est tout un art, la musique… l'opéra surtout, et vous en citez plusieurs dans « Les oies » ; mais ce n'est pas parce que vous jouez sur les oies, qui autrefois ont empêché la prise du Capitole à Rome en donnant l'alarme par leurs cris, que ça vous donne le droit de vous moquer de l'opéra du Capitole à Toulouse !).

Tout cela est un peu compliqué. On dirait que vous le faites exprès ! Comment voulez-vous que je trempe mes gnous dans le *parker quink* (c'est de l'encre !! Pauvres bêtes…) ? Et en plus, j'ai pas de gnous… « La loutre », selon vous, se lave avec un gant de « saponaires »… « Savonnettes », j'aurais compris, mais « saponaires » ! J'ai repris mon gros dictionnaire et j'ai saisi : c'est une plante contenant une substance qui peut mousser comme du savon !! Il faut le savoir… Vous croyez vraiment qu'on a le droit d'utiliser des mots qui peut-être n'existent pas ou que personne ne comprend, juste pour trouver une rime, bancale, en plus ? « Avunculaires », les bisons ? « Qui a rapport à un oncle ou une tante », dit mon gros livre plein de mots. Bon. Mais il n'y a ni oncle ni tante, ici ! Alors je vois clair dans votre jeu : ce mot-là, c'est juste pour avoir une rime avec « oculaires », et peut-être bien faire un ou plusieurs jeux de mots, du genre « a vaincu l'air » ou « a vingt cuillères »… Si on peut vraiment s'amuser comme ça, pourquoi ne pas l'avoir fait avec nous, les chiens ? Vous auriez lancé une rime en début de quatrain, et puis nous, on aurait couru jusqu'à la fin de la strophe pour l'attraper au vol, la rime, et vous la ramener... Il y avait tellement de rimes possibles avec toutes les races de chiens ! En voici une liste, pour écrire d'autres poèmes :

- « caniche »/« biche »/« triche »/« niche »
- « labrador »/« condor »/« trésor »/« Salvador »
- « bouledogue »/« bogue »/« dogue »/« morgue »
- « pékinois »/« malinois »/« danois »/« anchois »
- « chow-chow »/« chaud »/« beau »/« show »
- « bichon »/« bouchon »/« couchons »/« mâchons »
- « fox-terrier »/« terrier »/« lévrier »/« février »
- « teckel »/« nickel » (on peut utiliser deux fois la même rime : le poète a tous les droits !)

Nous, dans notre club de chiens amateurs de poèmes, on adore les *Chantefables* de Desnos, mais aussi les *Fables* de La Fontaine et les *Histoires naturelles* de Jules Renard. Ils mettent souvent en scène des chiens, pas toujours en nous donnant le beau rôle, c'est vrai, mais enfin, on existe. Pas dans votre livre... Est-ce que vous n'aimez pas les chiens ? À lire de près votre « Poème du chat », on s'interroge : le deuxième quatrain paraît nous cri-

tiquer et votre espèce de refrain entre parenthèses présente les chats par opposition aux
chiens… Vraiment, vous nous repoussez ? Nous,
on répond : « Quand on est chien, on n'est pas
chat » – et même : « on est pacha », nah ! Alors
votre « Poème du chat », nous, on suggère de le
réécrire : dans le premier quatrain, il suffit de remplacer « chat » par « chien » ; dans le deuxième, on
remplace les vers 6 à 8 par trois vers empruntés
plus bas ; et puis on termine par six vers où on pré-
cise qu'on lèche même les vilains moches (au fond,
c'est plutôt gentil, non ?) et qu'on brûle d'amour
pour tout le monde… Vous voyez bien qu'on est,
plus que bien d'autres, les animaux de tout le
monde !! Pour le refrain, on vous offre une
variante, parce qu'on n'est pas méchants :
« Quand on est chien, on n'est pas hyène » !

On m'a dit que vous aviez des enfants et des
petits-enfants ; je suppose que c'est pour leur faire
plaisir que vous avez écrit ce livre. D'ailleurs j'ai
remarqué que plusieurs poèmes sont écrits pour
quelqu'un : le « Poème du chat » pour Claude Roy,
un autre pour Marie Chaix et Harry Mathews, un
pour Oskar Pastior, un pour David Antin. Je me
suis informé : ils écrivent tous des livres ! Ça doit

être que vous vous faites des cadeaux : vous leur offrez un poème, et puis eux, ils vous offrent un poème. Un vrai club ! Surtout si l'on ajoute votre ami Queneau dont vous citez les « petits pigeons pleins de fientaisie » (encore un qui s'amuse bien, en faisant de deux mots, « fiente » et « fantaisie », un seul…), et tous vos clins d'œil à d'autres poètes (le « Poème en x pour le lynx » répond à un poème célèbre de Mallarmé…).

On croit reprendre confiance en lisant votre « Lettre au hérisson » : pour ne pas faire de jaloux, vous dites donner un sonnet à chaque animal. Pourtant quand on les regarde de près, vos sonnets, ils ne sont jamais pareils ! « Tous les sonnets ont le même nombre de vers, quatorze »… mais vous ajoutez, entre parenthèses, sans le dire trop fort (c'est un peu perfide, non ?) : « (surtout ceux qui ont l'air d'en avoir quinze, ou seize) » ! Comment voulez-vous qu'on s'y retrouve ? Bien sûr, on peut juste lire le poème, sans se poser toutes ces questions… Mais si on veut s'amuser un peu plus, on peut regarder comment vous avez fait. Dès le premier poème, il y a deux vers en trop ! Lesquels ? Voilà un jeu de piste… Et nous, les chiens, à ce jeu-là, on est fortiches. Ici, ce n'est pas difficile : il y a deux vers détachés au beau milieu du poème, qui font une petite strophe, comme un refrain qui reprend les deux premiers vers, en les arrangeant un peu... C'est à peu près la même chose dans le « Poème du chat », et « La coccinelle », avec ces vers entre parenthèses et souvent décalés. Dans « Hérisson ! », il y a deux vers à la fin entre guillemets : c'est une citation, et c'est un peu comme une chanson. Avec « La loutre », c'est plus compliqué : il y a bien deux vers détachés sous la forme d'une strophe, mais avec les majuscules (« Ô belle loutre... » et « Que revienne... »), on dirait qu'en fait, vous avez voulu écrire deux quatrains à la fin du poème. Parfois, le sonnet déborde : les vers sont encadrés par de la prose (« Les mouettes ») ou bien certains vers, comme au théâtre, apportent des informations sur la scène (« Le blaireau »).

Mais quand les poèmes ont l'air de sonnets sans espièglerie, ça se complique encore à cause des rimes... Dans la « Lettre au hérisson », vous parlez de « rime normande » à propos de « La vache ». Une « rime normande », ce n'est pas cela, vous le savez bien ; ce serait, dans « L'orvet », faire rimer « fer » et « s'assurer », ce que vous ne faites

pas – vous êtes rusé ! Si vous parlez de « rime normande », c'est à cause de la vache (une normande,
évidemment...), et parce que c'est pour vous une
manière de ne pas répondre tout à fait à la ques-
tion de l'écureuil... Mieux vaut, par ailleurs, passer rapidement sur la rime acrobatique de « La
fiancée du koala » (c'est un pirate...) :
« glycé/rine », avec « rine » dont on ne sait pas trop
quoi faire, vous non plus apparemment ; si encore
c'était « glycérime »...

Tout cela est un peu diabolique. Quel est donc
votre but ? Pourquoi « Buse et zébu » vous inté-
ressent-ils (plutôt que cocker et husky, par
exemple) ? Parce que leurs noms paraissent simplement l'envers l'un de l'autre, surtout avec le
« et » : bu-se et/zé-bu ! On a l'impression qu'en
fait, vous préférez les mots aux animaux...
D'autant plus si les animaux ne sont pas silen-
cieux ! « La marmotte » vous attire peut-être parce
qu'elle s'endort ; et les chats, eux, ne font pas
beaucoup de bruit... Si c'est ça, autant vous le
dire tout de suite, c'est une odieuse discrimina-
tion : si on aboie, c'est qu'on nous le demande ; et
si les noms qu'on porte ne vous plaisent pas, n'oubliez pas que c'est vous, les hommes, qui les

inventez ! Tout ça pour en arriver là : « ici finit l'histoire » (encore un vers en trop, et le faire dépasser à gauche n'est pas une excuse !) « de ma buse et du bel zébu ». Mon ami Cerbère, le boxer, y a vu clair : c'est « Belzébuth » qu'on entend ! Quant à Senex, le vieux cinéphile, il a vu bien des films, notamment un dont il se souvient, de Fritz Lang, où apparaît un très méchant personnage, un certain Mabuse…

Tout cela bien considéré, nous vous prions solennellement de revoir certains de vos poèmes. Et ne dites pas que réécrire vous pose problème… « Le pélican de Jonathan » ne réécrit-il pas « Le pélican » de Robert Desnos, dans ses *Chantefables* ?

> Et ce deuxième pélican
> Pond, à son tour, un œuf tout blanc
> D'où sort, inévitablement
> Un autre qui en fait autant.

> Cela peut durer pendant très longtemps
> Si l'on ne fait pas d'omelette avant.

Vous, vous faites comme une omelette de poèmes, et en plus vous vous amusez aux dépens du docteur Lacan, un fameux psychanalyste ! Vous voilà pris la main dans le sac… Que ce soit un petit jeu entre vous, écrivains, passe encore ; mais est-ce une raison pour nous oublier, nous, les chiens ? Forts de cette preuve accablante, nous exigeons donc que vous composiez pour nous quatorze sonnets.

En attendant votre envoi, nous nous estimons autorisés à exercer sur-le-champ (et dans les lignes qui suivent) notre droit de lecteurs. Puisque beaucoup de poèmes de votre recueil ne sont offerts à personne et que ces poèmes, comme les animaux, sont à tout le monde, on s'est dit avec les copains qu'on pourrait vous en prendre quelques-uns pour les offrir à nos amis. Nous offrons donc « La vache » à Léonore, « Les baleines » à Gabrielle, « La loutre » à Guillaume et le « Poème du chat » à Camille.

Un petit coup de main pour vos nouveaux poèmes ? On n'est pas rancuniers… Prenez « La vache » : il suffit de remplacer « La » par « Le » et « Vache » par « Chien ». Ça y est ? Vous voyez bien que c'est facile ! Et puisque vous réécrivez Desnos, nous réécrivons Roubaud – et comme la poésie est à tout le monde (surtout si elle n'oublie personne…), vous pouvez signer le poème qui suit, ça nous est égal…

Le chihuahua

Chihua
Ouah
Ouah
Hua

Chihua
Ouah
Ouah
Hua

Ouah Chihua
Huahua !
Huaaa

Ouah Chihua
Huaaa
Ouah ouah Chihuahua !

Quatorze chiens en colère

Table

Dépôt légal : août 2004

Imprimé en France par EPAC Technologies
N° d'impression : 4550414319520
Dépôt légal : août 2004